ROMAINE BROOKS

PORTRAITS - TABLEAUX
DESSINS

CE RECUEIL, ACHEVÉ D'IMPRIMER
SUR LES PRESSES DE BRAUN & CIE
MULHOUSE - PARIS - LYON
A ÉTÉ TIRÉ A
4.000 EXEMPL. SUR PAPIER HÉLIO
40 EXEMPL. SUR PAPIER ARCHES
CRÈVECŒUR NUMÉROTÉS DE 1 A 40
ET 4 EXEMPL. HORS-COMMERCE
MARQUÉS A B C D

SUR LA COUVERTURE : Self-portrait de Romaine Brooks

PRINTED IN FRANCE

INTRODUCTION

C'est en France que l'art de Romaine Brooks fut d'abord accueilli. Dès ses débuts ce jeune peintre retint l'attention de connaisseurs tels que: Arsène Alexandre, Apollinaire, Louis Gillet, Gustave Kahn, Louis Vauxcelles. Et Roger Marx consacra par une préface le catalogue de sa première exposition en 1910, chez Durand Ruel, où Robert de Montesquiou s'empara d'un des plus beaux portraits de cette « cambrioleuse d'âmes » pour son Pavillon des Muses.

Je fus tellement impressionnée par ces tableaux que j'écrivis un article pour la Revue Hebdomadaire. Et depuis j'ai suivi l'œuvre et l'évolution de cette artiste dont je suis un des plus reconnaissants modèles.

Le lecteur et l'amateur de peinture sont généralement curieux de connaître la vie d'un peintre. Le « self-portrait » de Romaine Brooks, sur la couverture de ce recueil, ne peut qu'ajouter à leur curiosité.

Son père Henry Goddard (apparenté à la belle Betsy Patterson qu'épousa Jérôme Bonaparte) ne fut ni glorieux ni familial. Romaine se trouva donc sous la direction de sa mère laquelle, impérieuse et fantasque, toujours en voyage « abroad », finit par s'installer dans le Midi où elle venait d'acquérir le château de Grimaldi. Afin d'utiliser le talent précoce de sa fille pour la peinture, elle lui commanda de décorer l'intérieur de ce château-fort dominant la frontière franco-italienne. Mais Romaine, rebelle à tout servage, s'enfuit. Son but : être admise à l'Ecole Nationale de Rome. Comme elle était la seule jeune fille d'une classe où les étudiants se montrèrent trop assidus, elle quitta brusquement Rome pour Capri. Cherchant une retraite, elle loua une chapelle désaffectée qui devint son atelier pour un loyer de 20 lires (1). Mais là, elle se rendit compte que l'excès de pittoresque convenait mal à son travail : un travail tendu au-delà de l'inspiration vers l'accomplissement d'une œuvre refusant la facilité, et, comme le remarque Yvon Bizardel, semblable au combat de Tobie avec l'Ange. Pour mieux poursuivre cette lutte, plus stimulante à Paris qu'ailleurs, Romaine revint en France. Pendant tout un hiver, elle essaya en vain de s'adapter aux ateliers de Montparnasse, et vers le printemps traversa la Manche, à la recherche d'un endroit libre de toute influence. Elle s'installa pendant « the season » en Cornouailles dans une cabane solitaire de pêcheur. Levée dès l'aube, elle s'efforçait de traduire les différents gris de la brume, ces gris impalpables que ses toiles gardèrent fidèlement, ce dont Claude Roger-Marx la félicite dans une conclusion qu'on peut lire, après d'autres fragments de critiques, à la fin de ces pages. Pendant son séjour à Londres cette nomade se lia d'amitié avec Charles Condor, rencontra Augustus John, mais non, comme elle l'eût désiré, Whistler

(1) Toute sa carrière de peintre est relatée, dans un style naturel et d'un ton sans amertume, dans son Autobiographie non encore parue qu'elle appellera "No pleasant Memories".

et Wilde. Elle y épousa un Anglais John Ellingham Brooks — mariage éphémère — mais comme le nom de Brooks fut associé à ses premiers succès, elle le garda et le rendit célèbre.

Durant cette période, et plus tard, certains de ses tableaux attirèrent l'attention au Salon d'Automne, à la Société Nationale, et même aux Indépendants. Elle exposa en 1926 nombre de ses œuvres à la Galerie Charpentier, puis, peu après, à l'Alpine Club à Londres, et ensuite chez Wildenstein à New-York.

Depuis 1910, son talent et son prestige n'ont fait que croître. Il est indéniable qu'elle exerca la plus grande influence sur les milieux artistiques et mondains de Paris car, artiste complète, elle n'excella pas seulement dans son art de peindre, mais elle sût donner une beauté singulière à tout ce qui l'entourait. Dans sa maison 20 Avenue du Président Wilson, elle réagit, la première, contre la servitude des styles, l'emphase des formes et des couleurs, préférant les gris, les blancs et les noirs dont elle se sert si magistralement dans ses tableaux. Elle fit aimer une sobriété dont elle était elle-même la parfaite expression. Mais, si recherchée qu'elle fut et en dépit des attachements qu'elle inspirait, personne que je sache n'avait besoin autant qu'elle d'indépendance et de solitude. Cela n'excluait ni sensibilité — comme dans son portrait de « l'Amazone » — ni sympathie humaine, car il est à noter la tendresse avec laquelle elle a peint le profil délicat de la «Vieille femme au bonnet» et le regard de la «Femme de Marin» fixé sur les bateaux en partance. Et que de beaux gestes d'amitié et de générosité anonymes on lui doit (le prix Lemordant entre autres).

Indifférente aux honneurs et aux témoignages de reconnaissance, elle aspire à rester partout étrangère. Affranchie des coteries et des êtres en général, elle se plaît seulement à observer autour d'elle et à retenir au passage les particularités de chacun. Même ses modèles choisis, lorsqu'ils se confessent abondamment sans qu'elle les écoute, il lui suffit de les confesser bien plus véridiquement à travers leur apparence, et de fixer pendant la pose, et leurs poses, jusqu'à leur âme ou manque d'âme. Comment obtient-elle, comment traduit-elle cette connaissance profonde des êtres ? Est-ce parce que sans accoutumance, son regard, à la fois sombre et gai, revient de si loin, qu'il démasque et saisit la signification intime de tous ces visages et livre leur sens caché ? Ces portraits pourraient bien être les derniers témoins de nos contemporains, par opposition à un art de catastrophe où visages et corps disloqués accusent le pessimisme universel.

A Romaine Brooks, peintre essentiel, nous devons donc ces documents humains que l'on voudrait impérissables parce qu'ils révèlent, non seulement des personnalités originales mais aussi le plus pénétrant des portraitistes.

Février 1952 ELISABETH DE GRAMONT

A TRUE PAINTER OF PERSONALITY

Born of American parents, Romaine Brooks has lived only in Europe until her recent arrival in New York, dividing her life of legendary isolation between a Moorish castle in Capri and a studio in Paris, whose great doors, sheltering it from the turmoil of taxis and bars, have opened to but very few.

The romantic career of this painter, whose art recalls an aphorism of Edmond de Goncourt: "*Le rare est presque toujours le beau*", began from the moment she realized that nothing could be accomplished under her mother's whimsical authority. Consequently she ran away, and with the fine courage of a fixed idea exchanged luxury for the life of a poor student, first in Paris, later in Rome, every other consideration swamped under an inescapable impulse to paint...

Always she preferred to work alone or sketch in studios where the models were paid for collectively by the students.

For a short time in Rome she went to State School, which furnished free drawing material and models. Here she was unfortunately distinguished as the one girl among hundreds of vagabond students, and soon it seemed easier to face a small fee at the Scuola Artistica. Then followed years of solitude, and work in Capri, where she rented an abandoned chapel for twenty francs a month, and paid for it out of irregular and insignificant sums which her mother began to send, principally out of rage. Suddenly this mother, who liked change and not travel, died in one of her numerous houses in Nice, and the prodigal daughter awoke one morning to find that a clause in her grandfather's will had entailed his fortune to her.

It is but another proof of the strength of that "inescapable impulse" that Romaine Brooks was not distracted from art by the unfamiliar magic of money. Instead, her fortune simply enabled her to isolate herself further from everything except painting, and to begin the series of portraits that figured in her New York exhibition, which offered America a first opportunity to claim this artist for its own...

Everyone interested in American art—and the American wing of the Metropolitan proves how widespread is this interest—should be proud to claim this painter... That America and Americans were quick to recognize and appreciate this new artist from abroad, the instant and continuing success of her exhibition here made clear. She came without a trace of the clever or blatant reclame so often professionally developed ... It was the pictures that counted, that made their telling strokes on the art consciousness of New York, which paid her the compliment of crowding the galleries in unwonted numbers. Aim and result seldom achieve character so like their creator, as in the circumstances attending Romaine Brooks' first American exhibition.

(Biographical extract from an article by John Usher in *International Studio*, February 1926)

A ROMAINE BROOKS

sur son

PORTRAIT PEINT PAR ELLE-MÊME

C'est la mer d'Occident, que fatigua la rame
de l'Ulysse dantesque arqué vers l'Inconnu,
celle dont l'amertume ard ton visage nu
frappé par ton démon au dur coin de ton âme.

Nul sort ne domptera, ni par fer ni par flamme,
le secret diamant de ton cœur ingénu.
Debout entre le ciel morne et le flot chenu,
tu ne crains pas le choc de la dixième lame.

Voici dans tes grands yeux le feu qui fut l'espoir
du souverain amour, avant que ton plus noir
regard mirât l'intacte horreur de la Gorgogne.

C'est la pourpre de Tyr qui double ton mantel
de bure ; et c'est le vent du courage immortel
qui seul de tes cheveux rudement te couronne.

Gabriele D'ANNUNZIO

PHOTO BRAUN

PORTRAIT PAR ELLE-MÊME

Musée d'Art Moderne (ex-Musée du Luxembourg)

PHOTO GIRAUDON

GABRIEL D'ANNUNZIO. LE POÈTE EN EXIL

Musée d'Art Moderne (ex-Musée du Luxembourg)

PHOTO BRAUN

IDA RUBINSTEIN

PHOTO BRAUN

ESQUISSE D'IDA RUBINSTEIN 1912

PHOTO VIZZAVONA

ELISABETH DE GRAMONT, DUCHESSE DE CLERMONT-TONNERRE

PHOTO BRAUN

PRINCESSE LUCIEN MURAT, VERS 1910

PHOTO BRAUN

MADAME LEGRAND AU CHAMP DE COURSES

MADAME ERRAZURIS

PHOTO BRAUN

PHOTO BRAUN

ELSIE DE WOLFE

Musée d'Art Moderne (ex-Musée du Luxembourg)

PHOTO VIZZAVONA

LA BARONNE EMILE D'ERLANGER

..."Luminosity without radiance, which suggests that one has just missed glimpsing the last rays of the sun as they dropped onto russet hair a leopard robe and faded in the amber eyes of the cat"

INTERNATIONAL STUDIO 1926 *John Usher*

PHOTO VIZZAVONA

PAUL MORAND 1925

MISS NATALIE BARNEY "L'AMAZONE" PHOTO BRAUN

PHOTO VIZZAVONA

"UNA" LADY TROUBRIDGE

MURIEL DRAPER, VERS 1936

PHOTO VIZZAVONA

PHOTO BRAUN

RENATA BORGATTI AU PIANO

PHOTOS BRAUN

ETUDES :

S. A. LE DUC D'ALBE. LA POÉTESSE ANNA DE NOAILLES

PHOTO BRAUN

JEAN COCTEAU À L'ÉPOQUE DE LA GRANDE ROUE

Musée d'Art Moderne

PHOTO BRAUN

IL COMMANDANTE GABRIELE D'ANNUNZIO

Musée "Il Vittoriale" à Gardone

PHOTO BRAUN

"LA FRANCE CROISÉE"

Frontispice pour cinq poèmes écrits par Gabriel d'Annunzio
pour la Croix Rouge

PHOTO BRAUN

DAME EN DEUIL

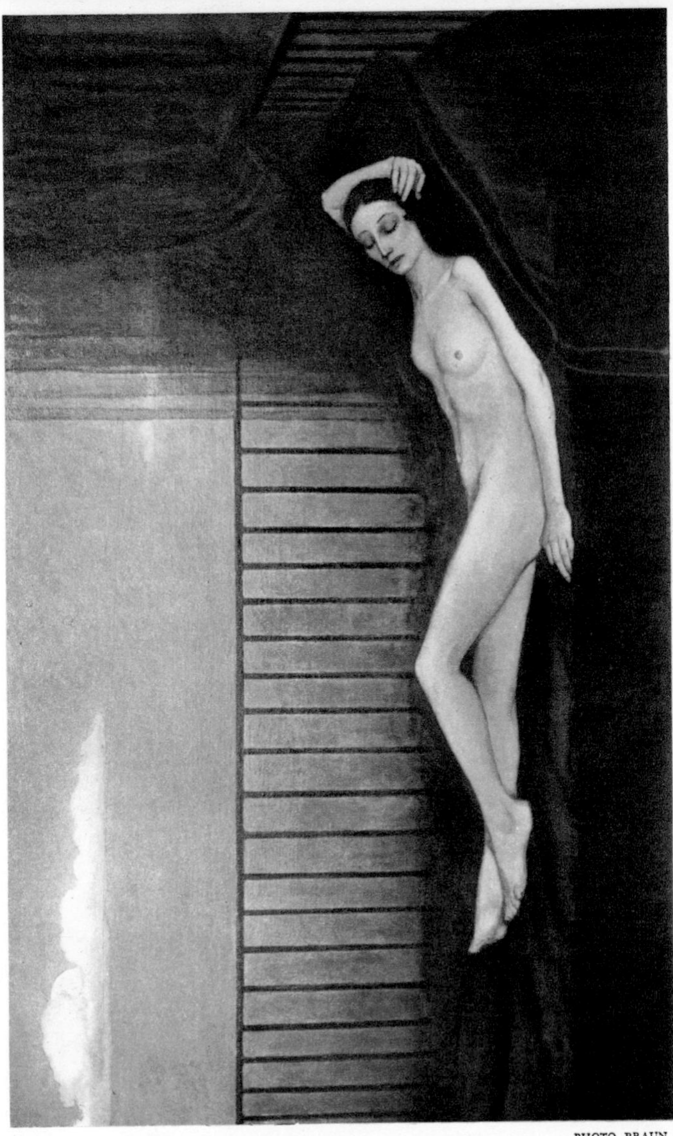

PHOTO BRAUN

WEEPING VENUS

PHOTO BRAUN

THE CHARWOMAN

PHOTO BRAUN

JEUNE FILLE ANGLAISE - YEUX ET RUBANS VERTS

PHOTO BRAUN

LE BONNET À BRIDES

PHOTO BRAUN

LE PARAVENT

PHOTO VIZZAVONA

CHASSERESSE
Panneau décoratif

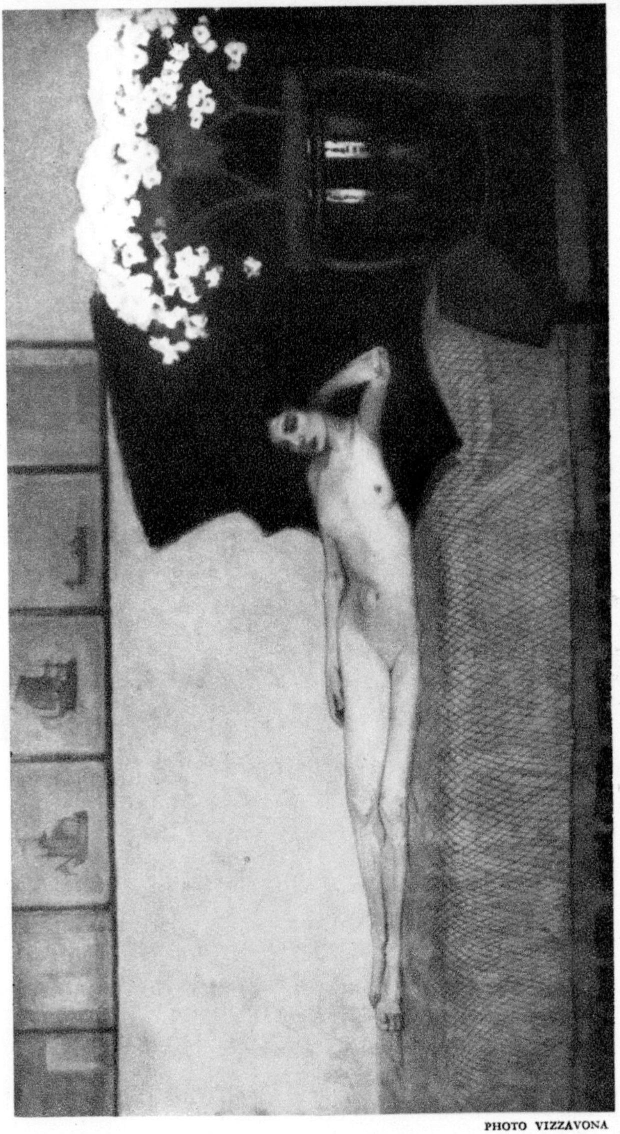

PHOTO VIZZAVONA

AZALÉES BLANCHES

PHOTO BRAUN

LA VESTE EN SOIE VERTE

PHOTO BRAUN

AU BALCON

PHOTO VIZZAVONA

DÉRIVE

PHOTO VIZZAVONA

NADIR

ORGUE DE BARBARIE

PHOTO BRAUN

PHOTO BRAUN

BUTIN

PHOTO BRAUN

FRÈRES ENNEMIS
Fresque

PHOTO BRAUN

THE MAJESTY OF DEFEAT

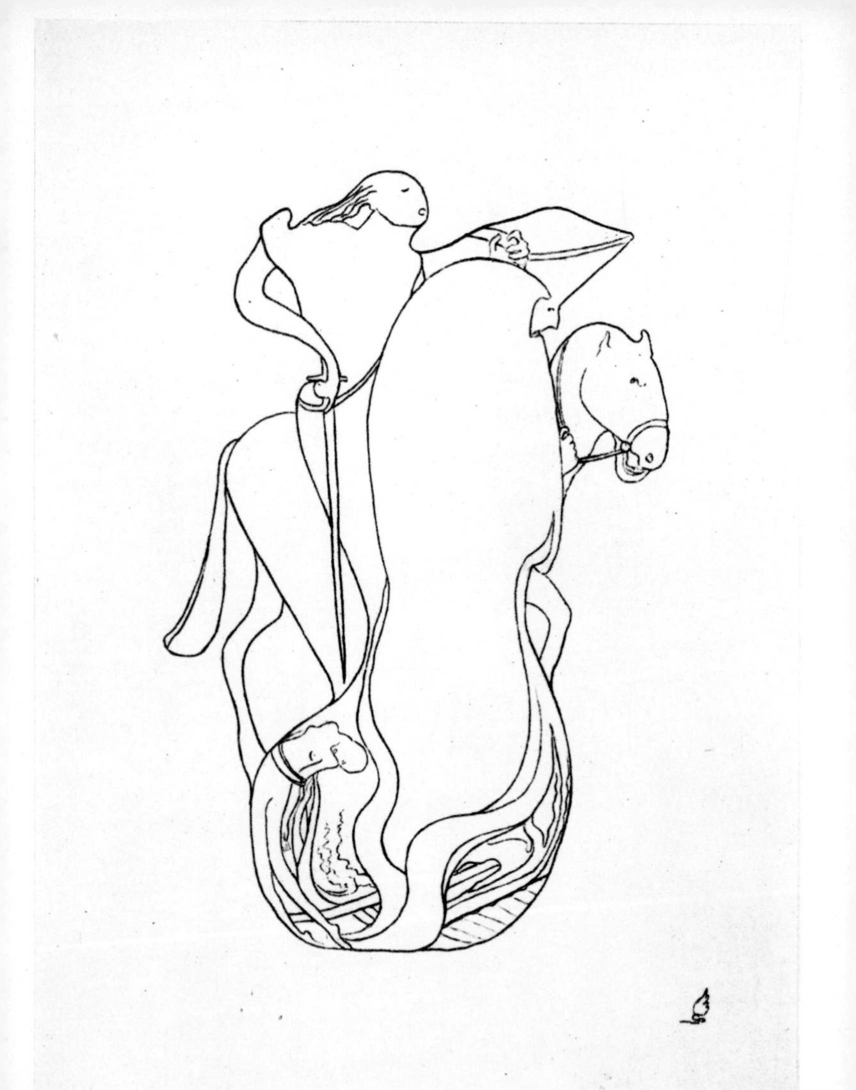

PHOTO BRAUN

JEANNE D'ARC

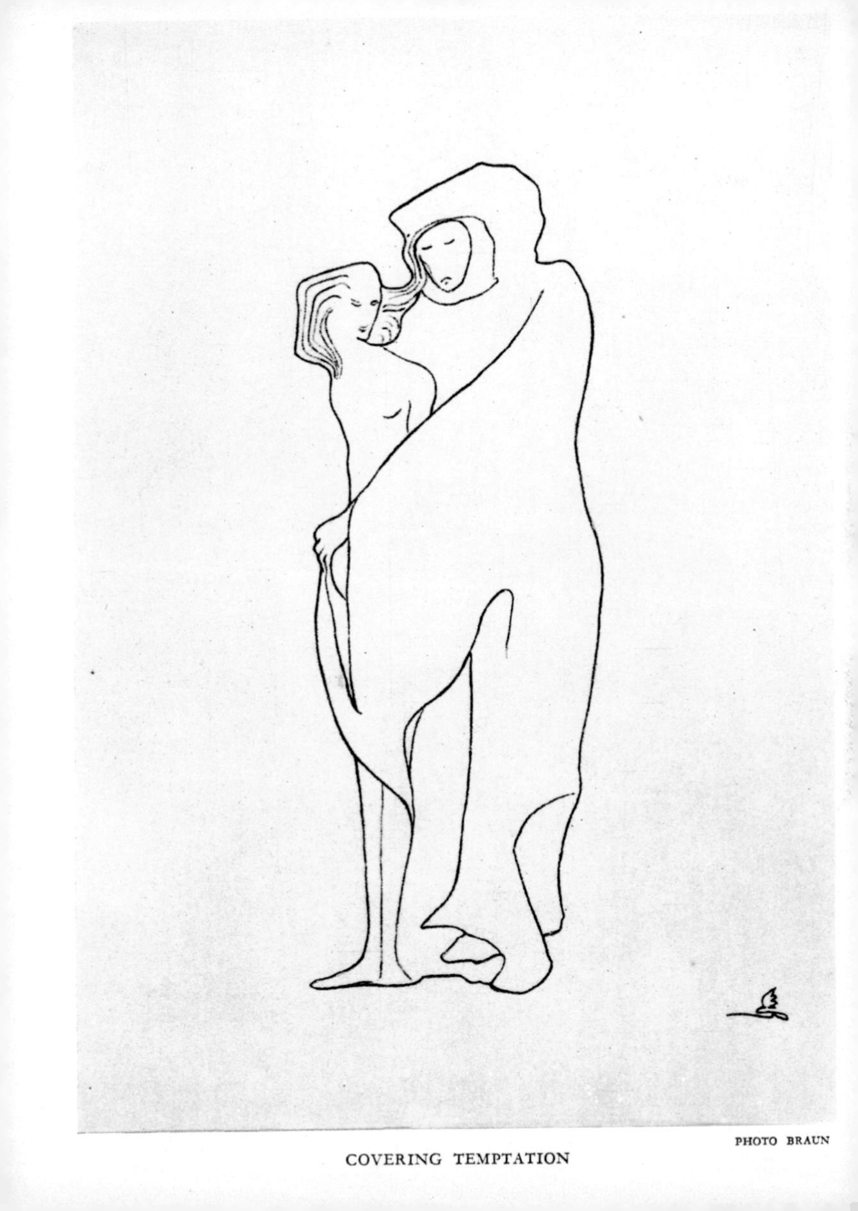

PHOTO BRAUN

COVERING TEMPTATION

PRIMITIVE COQUETRY

PHOTO BRAUN

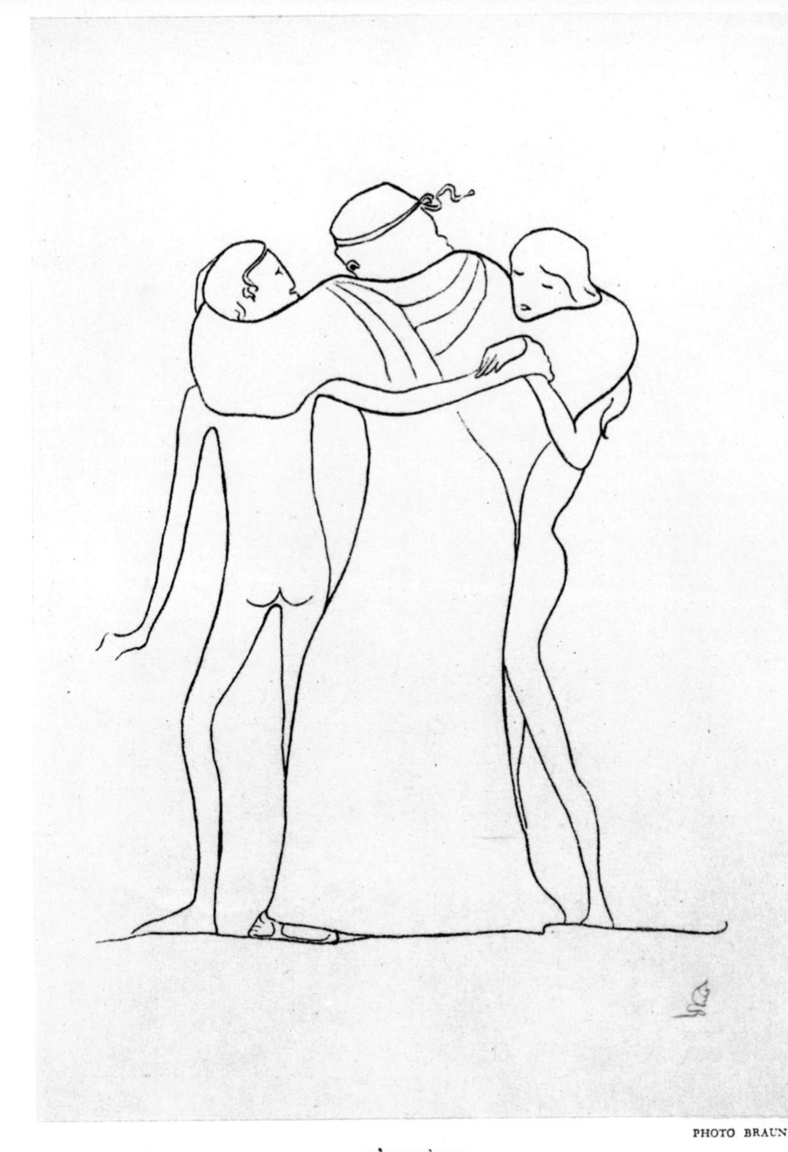

PHOTO BRAUN

L'EPICÈNE

PHOTO BRAUN

LE TEMPS SÉPARE - TIME DIVIDES

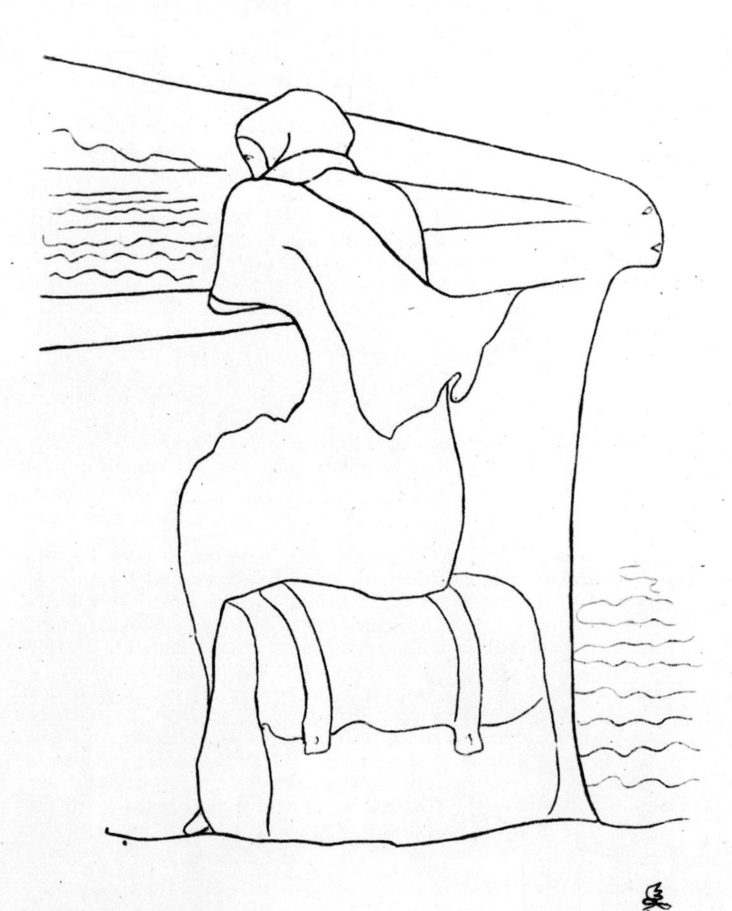

PHOTO BRAUN

THE PAST - DÉPART

APPRÉCIATIONS, CRITIQUES

ARSÈNE ALEXANDRE

« Ce sera pour le public une révélation que ces choses fortes et discrètes, d'une grande élégance et d'un goût très subtil. Ces portraits pensifs, ces harmonies sévères et pourtant pénétrantes accusent une originalité réelle et dégagent beaucoup de charme. »

(*Le Figaro*, 20 Mai 1910)

« C'est une excellente idée que celle de nous donner, au Luxembourg, une idée de l'art américain contemporain, du moins dans les domaines de la peinture et de la sculpture...

M. Bénédite avait déjà réussi, depuis des années, à faire de la section américaine de son musée un ensemble très nombreux et très séduisant...

De l'importance de cette section, nous avons cette fois une pleine notion; elle n'occupe pas moins de deux salles du Musée, et elle montre, groupées autour du chef-d'œuvre de Whistler, le portrait de sa mère, des œuvres remarquables telles que le d'Annunzio de Madame Romaine Brooks...

Madame Romaine Brooks fait figure très à part, sinon par l'esprit général de race, du moins par la sévérité de l'harmonie... »

(*Le Figaro*, 20 Octobre 1919)

« ...C'est Madame Romaine Brooks, cette Américaine à la fois très vivante et très énigmatique, figure complexe et portant avec élégance sa commençante célébrité, qui a tracé avec une sobriété, on dirait presque une rigueur florentine, les traits nettement accusés et le contour inflexible de la physionomie de d'Annunzio. Un élève de Donatello n'aurait pas taillé plus fermement dans le marbre les plans, les arêtes de ce visage à la fois si simple et si ravagé d'idéal. L'image, volontairement grise et noire, se détache sur une mer mauvaise, d'un ton sournois d'ardoise. Cela fut peint à Biarritz, à une heure d'épreuves dans la vie du poète. Aussi, profonde est la tristesse de cette bouche, de ces yeux, mais il y a du défi dans cette amertume et de l'orgueil, du juste orgueil, dans cette désespérance. On sait le magnifique rayonnement qui devait en dissiper les ombres... »

(*Le Figaro*, 29 Mai 1916)

GUILLAUME APOLLINAIRE

« Romaine Brooks expose chez Durand-Ruel six ou sept tableaux d'une sombre élégance, visages pâles, robes noires, silhouettes semblables à des souvenirs, tout ce que nous présente Romaine Brooks a cette sévérité, où le charme ne manque point, mais bien la couleur et même la nuance. Ce peintre peint avec fermeté mais avec tristesse, oui, vraiment avec trop de tristesse... »

(*l'Intransigeant*, 15 Mai 1910)

VAUXCELLES

« Le talent rare et subtil de Madame Romaine Brooks a déjà été apprécié en ce journal. Nature d'artiste et singulière, d'une perversité froide, un peu littéraire. Le dessin est ferme, musclé, la composition toujours voulue, n'abandonnant rien au hasard. Depuis Cécilia Beaux et Mary Cassatt, le nom de Romaine Brooks est, parmi ceux d'outre-mer, le seul à retenir. »

(*Gil Blas*, 14 Mai 1910)

« ... Madame Romaine Brooks sera tirée hors de pair. Madame Brooks... a peint un portrait de femme, tenu dans la gamme subtilement sobre des gris whistleriens et des roses pâles, qui requiert l'admiration. Ce visage mélancolique, quasi-douloureux, obsède, après tant d'effigies factices. Madame Brooks ne peint pas des yeux, mais des regards, pas l'arc d'une bouche, mais un sanglot contenu... »

(*L'Eclair*, 18 Avril 1920)

« ...Une exposition Romaine Brooks est le divertissement — trop rare — des délicats, car cette mystérieuse Américaine ne daigne pas souvent convier le public à contempler ses ouvrages. Un ensemble d'une quarantaine de toiles est montré à l'hôtel Charpentier... Ce sont des portraits le plus souvent, et Madame Brooks sait élire ses modèles (la princesse Lucien Murat, la duchesse de Clermont-Tonnerre, Miss Natalie Barney, Ida Rubinstein, d'Annunzio, Paul Morand, Jean Cocteau, le duc d'Albe, etc...) Effigies étranges surgissant de la pénombre comme des apparitions, visages d'une expression suraiguë mais aussi d'une lividité cadavérique. Art de sensualité toute cérébrale; monochromie, ou plutôt accords de blanc et de noir; dessin précis, autoritaire, qui (le mot est de feu Roger Marx) préfère l'allusion à l'affirmation... Il y a parfois en ses images un je ne sais quoi qui déconcerte la sensibilité française; certaines jeunes femmes ressemblent à des éphèbes, mettons que cela bouscule nos habitudes; certains nus sont dépourvus de tiédeur, d'alanguissement, je n'ose écrire de volupté. Mais rien, sous le pinceau de Madame Brooks, ne saurait être indifférent. »

(Mars 1925)

« Les dessins de Romaine Brooks. - Les extraordinaires fantaisies linéaires de Madame Romaine Brooks, Galerie Th. Briant... ne contredisent qu'en apparence, et pour le spectateur superficiel seulement, ce que nous connaissons et aimons de la peinture de cette grande artiste.

Ces dessins sont rares, étranges, d'arabesques imprévues et troublantes, chargés d'émotion, de mystère, de poésie pathétique, d'ironie légère, de pessimisme glacé. Ils sont volontiers ésotériques, hermétiques, toujours d'un graphisme sévère et dépouillé jusqu'à l'abstrait. On les croirait dictés à l'auteur par je ne sais quel démon, alors qu'elle serait plongée au plus profond du rêve ou de l'hypnose.

Eh bien, tout cela est-il si loin des mérites attestés par la peinture de Romaine Brooks ? Songez à ces effigies célèbres, la pianiste Renata Borgatti, Ida Rubinstein, Gabriele d'Annunzio, la duchesse de Clermont-Tonnerre, ou l'adorable Amazone datée de 1920 : de ces visages scrutés « avec une ferveur âpre et presque espagnole de la vérité » (le mot est de Roger Marx) un identique et subtil parfum ne s'exhale-t-il pas ? Ces figures n'enclosent-elles pas, elles aussi, leur énigme; ne sont-elles pas animées d'une expression quasi surnaturelle, comme nimbées d'un halo ? Certes, on ne subit pas ici, et pour cause, le charme nuancé des accords, mais la vigoureuse concision du trait, l'osé des synthèses, des raccourcis et cette intelligence comme désabusée, ne sont-ils pas les mêmes? L'art de Romaine Brooks est riche, mais d'une unité parfaite.

Si l'on objecte que le chiffre de ces croquis est d'une lecture difficile, nous en conviendrons, en ajoutant toutefois que l'auteur, n'étant plus bridé par le modèle, a pu laisser libre cours à son lyrisme.

Et puis, cette substantielle « obscurité » n'est-elle pas la rançon de certaines œuvres hautes et racées ? Romaine Brooks parle à une élite, au même titre que Poe, Valéry. Ou plutôt, car il sied de demeurer dans le domaine plastique, on se référera aux feuillets d'Albert Durer, à certaines estampes de Rodin.

Ces dessins sont littéralement inclassables. Ils suggèrent et symbolisent plus qu'ils ne constatent et ne définissent. L'inconscient a sa part de responsabilité, en ces jeux intellectuels d'une savante plasticienne. Si le vocable « surréalisme » n'avait été ridiculisé par qui nous savons, on eût écrit que les croquis de Madame Brooks ressortissent à cette esthétique. Toutefois, n'oublions pas que nous avons affaire à l'un des cerveaux lucides de ce temps : il y a ici une volonté, une discipline et non de hagardes allusions à la nature, à la vie, au réel. Cette observation implacable nous soumet des monstres, des bêtes aux formes inventées, des êtres désincarnés; mais cet univers de phantasmes et de larves, on ne peut le contempler sans un sentiment où se mêlent la curiosité, l'effroi et l'admiration. » (*Excelsior*, 21 Mai 1931)

GASTON DE PAWLOWSKI

« ... De Romaine Brooks, la Chèvre Blanche, un très curieux portrait de femme en noir et blanc avec une petite chèvre en porcelaine qui lui ressemble comme sa propre fille. »

(*Le Journal*, 15 Avril 1920)

ROGER MARX

« ... Madame Brooks apparaît en accord avec elle-même, fidèle à ses aspirations, soucieuse avant tout de sa personnalité. Une indépendance altière et une volonté tenace la soustraient à la tutelle de toute influence. Elle ne se rapproche de Claude Debussy et de Whistler que dans la limite où elle se retrouve en eux. Le désir de la recherche est inné chez elle et il y aurait de sa part affectation ou contrainte à n'y pas céder...

Vous diriez d'elle une de ces « natures délicates à qui la découverte de l'originalité est familière. » Madame Brooks la discerne en tout et partout; elle l'accueille, elle la recueille, elle la traduit. Dans la vie, c'est toujours le côté singulier qui, d'emblée, la frappe; dix années de labeur n'ont pas émoussé cette faculté de s'étonner qui constitue, selon Edgar Poe, un bonheur et, à l'égard de l'artiste, une voie de révélation certaine... Sa pénétration s'accompagne du joli don d'ironie froide dévolu aux humoristes de son pays. Nulle apparence ne la dupe, nul préjugé ne l'aveugle. A la requête de l'amitié, au gré de relations mondaines, il lui est arrivé de s'instituer portraitiste; elle a tenu le rôle sans complaisance; les images sorties de sa main sont de probes effigies, indemnes de fraude. La vie intérieure et la mentalité s'y inscrivent à fleur de visage; selon le verbe touchant du poète que Madame Brooks a représenté pour la postérité, l'esprit se confond avec la chair en ces peintures où paraissent:

« Les pauvres corps vivants qui sont toutes nos âmes ».

... Tout à l'heure on la voyait, sous l'aiguillon de la résistance, se piquer au jeu d'une observation qui veut s'insinuer au tréfonds de l'être et le dévoiler tout entier... J'y retrouve le culte de la vérité, fervent, âpre, espagnol presque, par quoi les portraits s'étaient fait aimer. Les marques distinctives sont répandues sur toute la personne humaine aussi bien que sur le visage; c'est affaire à l'artiste de retenir les particularités essentielles, les attraits et les tares, où se résume la physionomie de chaque être. »

(Catalogue Exposition du 2 au 18 Mai 1910)

ALBERT FLAMENT

« Américaine devenue Anglaise par son mariage, et qui s'est ensuite fixée à Paris, Madame Brooks est un peintre d'un talent curieux, très rare, original, à la fois simple et vigoureux et d'une harmonie recherchée... Une femme que le goût de son temps n'a pas su réduire à l'esclavage; en empruntant au passé et au présent, elle a su former une chose — son logis — encore jamais réalisée et qui complète l'un des talents féminins les plus originaux de ce temps... » (*Le Trottoir Roulant*)

« Ça, c'est *moa* »..., dit la charmante Mrs. Brooks, en désignant près du vitrage, un chevalet, avec cet accent joyeux qui est comme un voile jeté sur des gouffres de solitude. « Un portrait psychologique ». Le chapeau noir assez haut, le regard dans l'ombre du bord qui avance un peu, le visage pâle, les lèvres à peine colorées, en petit veston noir, où le mince ruban rouge de la boutonnière est la seule note qui tranche dans ce camaieu, avec à l'arrière-plan, quelques constructions de banlieue lézardées, sous une nuée de Mars... « Un portrait psychologique » !... Dans la psychée à trois faces, j'aperçois le visage réel de Mrs. Brooks qui vient de se frotter avec cette poudre ocre qu'elle aime tant et qui rit comme un enfant. Et je regarde de nouveau cet autre visage sévère et blême, cet être invisible à nos yeux, qu'elle a livré là, sur la toile..., ce promeneur solitaire, au large des habitations dévastées... »

(*La Revue de Paris*)

ANDRÉ DODERET

« ... Le portrait de Gabriel d'Annunzio en Guerrier fut peint à Venise, pendant la guerre. « C'est peut-être ma dernière image », dit le poète du Nocturne où Cinérina n'est autre que Madame Romaine Brooks. Son atelier était alors sur les Zattere, et il y avait trois numéros écrits à la craie sur la porte rouge de la maison : 41, 5, 9. Un après-midi, le poète se rendait à l'atelier : une ombre épaisse emplissait son cœur. Il entre et ne sait pas dissimuler son humeur noire. « Cinérina est là, écrira-t-il plus tard, dans l'obscurité de sa chambre de convalescent, elle n'est que des yeux et un menton; ce n'est plus une femme, mais une volonté d'art, avec sa blouse de toile blanche, avec ses sobres pinceaux en main. Je prends la pose, songeur. Je n'écoute pas les choses qu'elle dit pour plaisir de bavarder. Un temps passe, indéfini, certainement bref. » Quelques instants plus tard, la séance est interrompue par l'annonce de la mort de Giuseppe Miraglia, pilote et ami très cher du poète-aviateur. L'ombre de cet instant tragique est demeurée sur le portrait. Ce n'est plus la face du génial rêveur d'Arcachon. Une parole prophétique a passé par les lèvres de cette bouche très belle, qui semble ne plus devoir se fermer. A Gênes, sur le rivage de Quarto, à Rome, devant le Capitole, ces lèvres ont annoncé la victoire d'Italie. Les prunelles dilatées fixent un point précis. Le premier portrait pourrait porter ce sous-titre : le Rêve; l'autre, l'Action. Mais la mer d'Occident et l'Adriatique très amère ont toutes deux la sombre couleur du laurier. »

(*L'Art Vivant*, 1er Avril 1925)

CLAUDE ROGER-MARX 1952

Si avide que fut toujours Romaine Brooks « d'être de son temps », elle a su, alors que la peinture se détachait de plus en plus de l'humain et se grisait littéralement de couleurs, demeurer fidèle aux gris — qu'elle accorda toute jeune avec une subtilité et une sûreté exceptionnelles — et mettre sa passion et son intelligence à définir en profondeur des êtres de son choix.

L'avenir, comme nous, l'admirera pour ce double courage.